PREMIERE LECTURE

Pigeon-chien a disparu !

Claude Maillard / Odile Herren

ROUGE & OR

© 1992 Éditions Rouge et Or, Paris
Dépôt légal : juin 1992
Imprimé en France par **Jean Lamour**
ISBN 2-261-03715-5

Conforme à la loi ñ 49.956 du 16 juillet 1949
sur les publications destinées à la jeunesse.

— Pigeon-chien ! Pigeon-chien !
Roberto est tout heureux.
Son pigeon préféré,
celui qu'il surnomme Pigeon-chien
parce qu'il lui obéit
quand il l'appelle, est là,
derrière la fenêtre de sa chambre,
tapant du bec sur la vitre.

C'est sa façon à lui de faire signe.
Et voilà que le petit garçon
lui ouvre la fenêtre, doucement,
pour qu'il n'ait pas peur.

— Tiens, Pigeon-chien,
c'est pour toi.

Roberto met les miettes de pain
du repas sur le rebord de la fenêtre.
Pigeon s'en donne à cœur joie.

Mais bientôt d'autres pigeons
arrivent, plus gourmands les uns
que les autres.

— Oh ! ils vont tout manger.
Attends...

Roberto court à la cuisine.
Il sait que les croûtes de fromage
font les délices de son Pigeon.

Alors, il récupère celles
qui se trouvent dans les assiettes
du déjeuner. Quand Roberto revient
dans sa chambre, Pigeon-chien
est encore là. Dodelinant de la tête,
sautillant d'une patte sur l'autre,
puis se tenant sur un pied
comme un héron, il l'attend.

Roberto lui tend les petites croûtes
entre le pouce et l'index.
Et Pigeon les prend, une par une,
avec délicatesse. Comme il se régale !
Il aime le gruyère encore plus
que la mie du pain, et presque autant
que les grains de riz ou de maïs.
— À tout à l'heure, mon petit
Pigeon. Je vais aller à l'école.
Surtout ne sois pas triste,
je te rapporterai une surprise.

À la leçon de dessin, il pense
encore à son Pigeon.
La maîtresse leur a demandé
de dessiner leur animal favori.
De retour à la maison, il montrera
son dessin à Pigeon-chien.

— Comme il est beau !

La maîtresse a raison.
Pigeon-chien est magnifique,
avec sa tête empanachée,
son petit bec bleu, son œil jaune
vif comme le cœur d'une pâquerette,
ses ailes aux plumes myosotis
et ses pattes toutes roses.
Ainsi, vu de profil,
son Pigeon-chien a belle allure.
Et Roberto a 10 sur 10.

— Je veux connaître Pigeon-chien,
demande Camille.

— Moi aussi ! dit Sébastien.

Le « moi aussi » retentit
dans toute la classe.

— Apporte-le à l'école,
crie Amélie.

— Oh ! oui, apporte-le ici,
renchérissent ses amis.

La maîtresse a beau leur dire
que ce n'est pas possible,
qu'on ne peut pas attraper un oiseau
sans risquer de lui casser
une aile ou une patte, personne
ne l'écoute. Et jusqu'à la sortie
il n'est question que de la venue
de Pigeon-chien à l'école.
Demain...

Quand Roberto rentre
chez lui, il n'a qu'une idée :
attraper Pigeon-chien
pour l'emporter à l'école
et le montrer à ses amis.

Il est si excité qu'il a oublié
de prendre son dessin.

— Pigeon-chien, viens,
viens vite...

L'oiseau ne tarde pas à arriver
à grands coups d'ailes
et de roucoulades. Et le voilà
pris au piège de deux petites mains

qui se sont tendues et refermées
sur lui avant qu'il ne comprenne
ce qui lui arrive.

— Mon Pigeon-chien ! murmure
Roberto. Demain, tu verras...

Mais l'oiseau s'en moque.
Demain n'a pas de sens pour lui.
Il a seulement peur. Très peur.

Il se débat comme un beau diable,
hochant la tête, et donne
de violents coups de bec
sur tout ce qui est à sa portée.
— Ah ! mais tu me fais mal !

Les mains de Roberto sont
tout écorchées. Il a mal et desserre
son étreinte, juste un peu.

C'est suffisant pour que l'oiseau
en profite pour s'envoler.

Roberto se précipite pour fermer
la porte et la fenêtre de sa chambre.
Et maintenant, il court à droite,
à gauche, monte sur le lit,
sur la chaise, lance son écharpe
pour attraper l'oiseau.

Et Pigeon vole, vole, de plus
en plus affolé, se heurtant
aux murs, à l'armoire.
Il y a des plumes partout.

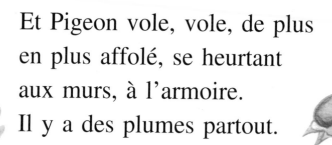

— Qu'est-ce qui se passe ici ?
Que fait ce pigeon dans ta chambre ?
Roberto s'arrête net.
Et il reste là,
devant sa maman,
répétant d'un air penaud :
— Pigeon-chien
ne veut pas
venir avec moi...

Sa maman va à la fenêtre,
l'ouvre en grand. Puis elle prend
l'écharpe de Roberto et la fait
voltiger très doucement,
tout en disant :

— Allez, va, va, petit pigeon !

Pigeon-chien ne se le fait pas
dire deux fois. On dirait
qu'il a compris. En trois coups
d'ailes, il est dehors.

Roberto éclate en sanglots.
Il est très triste. Sa maman vient
de quitter la pièce sans dire un mot.
— Pigeon, mon petit Pigeon
à moi, reviens vite.
Il pleure à chaudes larmes quand
sa grande sœur, Mathilde, arrive.
— Pigeon-chien est parti...
Et puis...
Il lui raconte l'histoire.

Mathilde lui dit avec gentillesse
mais fermeté :

— Allez, sèche tes larmes.
Ton Pigeon n'est pas perdu.
D'abord, on va ranger la chambre.
Et j'ai une idée : comme tous
les oiseaux, Pigeon-chien
doit aimer la musique. Alors,
on va essayer toi et moi
de composer un morceau de piano
rien que pour lui.

Les progrès de Roberto
en musique sont étonnants.
En quinze jours, il a presque
rattrapé Mathilde. Plus besoin
de l'obliger à faire ses exercices.
À peine de retour de l'école,
il se précipite au piano.
*Roum poum, roumroum pououm
roumpoum, roum poum,*
il cherche le roucoulement
qui donnerait envie à son Pigeon-
chien de revenir.

— Mathilde !
Mathilde !
j'ai trouvé !
Écoute...

Une série de trilles s'égrène
sous les doigts de Roberto. Bientôt,
le frère et la sœur jouent
à quatre mains une mélodie
qu'ils appellent : *Roucoulement
pour le retour de Pigeon-chien*.
— On va l'enregistrer sur
une cassette. Et puis, on la passera
en laissant la fenêtre ouverte,
propose Mathilde.

Quelques jours plus tard, tout
est prêt. Attirés par la musique,
quelques pigeons arrivent.
Devant le magnétophone, ils sont
plutôt surpris, mais restent
à écouter.

— C'est bon signe, dit Maman,
touchée par l'imagination
de ses enfants.

Sur le rebord de la fenêtre,
il y a de plus en plus de pigeons.
Mais ce n'est jamais Pigeon-chien.
À sa façon de tourner la tête,
de le regarder, de becqueter
ses plumes, Roberto le reconnaîtrait
entre mille.

Les jours passent. Roberto
et Mathilde ne se découragent pas.
Toute la classe, maîtresse en tête,
vit intensément l'histoire
de Pigeon-chien. Un vrai suspense !
Aujourd'hui, une surprise
attend Roberto. Et c'est Amélie
qui la lui fait, au nom de tous
ses camarades.

— Oh ! Que c'est beau !
s'exclame-t-il.

Sur une très grande feuille
de papier, chacun a dessiné
un pigeon. Et chacun a écrit
pour Pigeon-chien. Camille,
une chanson ; Sébastien,
un poème ; Charlotte, une lettre.

Est-ce la superbe affiche
ou est-ce une simple coïncidence,
ce soir-là, à peine Roberto
a-t-il déroulé la feuille à la fenêtre
de sa chambre que Pigeon-chien
arrive, plus beau que jamais.

— Mathilde ! Vite, la cassette !

Alors, ce qu'on n'a jamais vu
de mémoire de pigeon se produit :
le joli bec de Pigeon-chien
pointe en cadence les mots
et les virgules écrits sur l'affiche,
au rythme de *Roum poum,*
roumroum pououm roumpoum,
roum poum.

CLAUDE MAILLARD

Tout en pratiquant son métier de médecin en Afrique, aux Antilles et en France, a toujours aimé écrire pour la jeunesse sous différents pseudonymes.

Son enfance a été bercée par les histoires que lui contait son père. Quand elle n'est pas en Amérique centrale, au Guatemala notamment, elle vit à Paris.

ODILE HERREN

À l'école, au lieu d'écouter, rêvait en dessinant des enfants et des paysages du bout du monde. Plus tard, elle a appris le dessin animé et le cinéma.

Grande voyageuse, elle a longtemps vécu au Mexique où elle s'est mise à l'illustration de livres d'enfants.

Depuis son retour en France, elle partage son temps entre son travail d'illustratrice et ses trois enfants, Santiago, Lucia et Tania.